APPRENTIS LECTEURS

POISSON VOLEUR

Laura Manivong

Illustrations de Suzanne Beaky

Texte français de Marie Frankland

Éditions
SCHOLASTIC

À Troy, Clara et Aidan... mes propres petits poissons voleurs.
— L.M.

À ma mère et à mon père, qui ont toujours été là pour moi.
— S.B.

Catalogage avant publication de Bibliothèque
et Archives Canada

Manivong, Laura, 1967-
Poisson voleur / Laura Manivong;
illustrations de Suzanne Beaky;
texte français de Marie Frankland.

(Apprentis lecteurs)
Traduction de : One smart fish.
Pour les 5-8 ans.
ISBN 978-0-545-99101-8

I. Beaky, Suzanne, 1971- II. Frankland, Marie, 1979-
III. Titre. IV. Collection.

PZ23.M353Po 2008   j813'.6   C2008-901291-7

Édition publiée par les Éditions Scholastic, 604, rue King Ouest, Toronto (Ontario) M5V 1E1.

5 4 3 2 1   Imprimé au Canada   08 09 10 11 12

Je veux attraper
un gros poisson.

Je pique une saucisse
sur l'hameçon.

Je lance la ligne avec l'appât.
J'attends patiemment mon repas.

Rien ne mord. Je vais regarder.
Plus de saucisse.

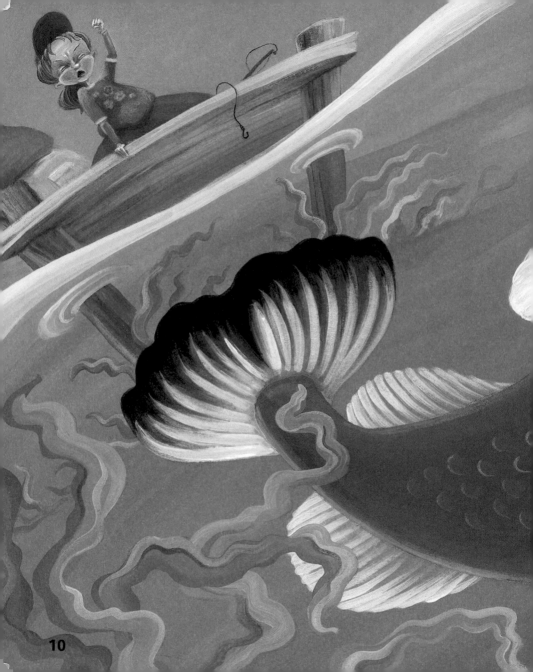

Le poisson l'a volée!

Le vent se lève.
Des nuages se font voir.

J'entends un plouf!
Je vois une nageoire.

Sur mon hameçon,
malgré la pluie,
je pose de la pâte
à biscuits.

La ligne bouge.
Je la tire vers le quai.

Encore une fois,
le poisson m'a volée!

J'ai un plan. Il ne gagnera pas.

Je pose une épingle
pour fixer mon appât.

Je lance à l'eau notre
fameux spaghetti.

Il le vole encore!
Je perds la partie.

Atchoum! Ce poisson est futé.
Un rhume! C'est ce que j'ai attrapé.

LISTE DE MOTS

a	fixer	ne	reste
à	fois	notre	rhume
ai	font	nuages	rien
appât	futé	partie	saucisse
atchoum	gagnera	pâte	se
attends	gros	pas	spaghetti
attrapé	hameçon	patiemment	sur
attraper	ici	perds	tire
avec	il	pique	un
biscuits	je	plan	une
bouge	la	plouf	vais
ce	lance	pluie	vent
de	le	plus	vers
des	lève	poisson	veux
eau	ligne	pose	voir
encore	mais	pour	vois
entends	malgré	quai	vole
épingle	mon	que	volée
est	mord	regarder	
fameux	nageoire	repas	